BEDD Y DYN GWYN

**Nofelau Bob Eynon
o Wasg y Dref Wen**

Bedd y Dyn Gwyn
Y Gŵr o Phoenix
    (hefyd ar gael gyda chasét)
Perygl yn Sbaen
Y Giangster Coll
Marwolaeth heb Ddagrau
Arian am Ddim

BOB EYNON

Bedd y Dyn Gwyn

DREF WEN

CBAC

Cyhoeddwyd dan nawdd
Cynllun Llyfrau Darllen
Cyd-bwyllgor Addysg Cymru

© Bob Eynon 1990
Cyhoeddwyd gan Wasg y Dref Wen,
28 Ffordd yr Eglwys,
Yr Eglwys Newydd, Caerdydd.
Argraffwyd ym Mhrydain.

I Jill Evans

1.

Pan glywodd e'r lleisiau aeth Cris Hopkin i fyny i ddec y llong. Roedd tyrfa yn sefyll yno yn barod. Roedden nhw'n syllu ar y tir gwyrdd yn y pellter.

Arhosodd Cris yno gyda nhw am funud neu ddau. Yna aeth i lawr i'w gaban ac agor ei ddyddiadur ar dudalen newydd: Dydd Mercher 23 Chwefror, 1895.

Cymerodd ben ac inc a dechreuodd ysgrifennu:

"Mae'r daith hir wedi dod i ben. Mae'r teithwyr i gyd yn edrych ar arfordir Affrica. Mae hi'n chwech o'r gloch yn yr hwyr ac mae'r tywydd yn braf. Fe fyddwn ni'n cyrraedd Lagos bore 'fory."

Roedd harbwr Lagos yn llawn o gychod a phobl. Roedd y gweithwyr duon yn aros ar y cei i'r llong gyrraedd. Yna rhuthron nhw i groesawu'r teithwyr ac i gario eu bagiau i'r tir sych.

Rhedodd un o'r gweithwyr yn syth at Cris Hopkin.

"Croeso, Massa," meddai. "Naduka fy enw i. Fi gwybod Lagos da iawn."

Dyn bach oedd e ac roedd gwên hapus ar ei wyneb.

"Ble eisiau mynd?" gofynnodd. "Gwesty? Tŷ bwyta?"

Siglodd Cris ei ben.

"Wyt ti'n gwybod ble mae'r Llywodraethwr Prydeinig yn byw?"

Cododd Naduka y ddau fag oedd gan y llanc.

"Ydw," atebodd. "Naduka gwybod popeth yn Lagos. Dewch!"

Gwthiodd y dyn bach ei ffordd trwy'r bobl ddu ar y cei, ac roedd rhaid i Cris gerdded yn gyflym er mwyn ei gadw yn y golwg. Wrth iddo gerdded roedd chwys yn rhedeg i lawr ei wyneb ac roedd yr haul cryf yn llosgi ei groen golau.

Wedi gadael y cei aethon nhw drwy resi o gabanau tlawd lle roedd gwragedd yn eistedd o flaen y drysau a grwpiau o blant yn chwarae ar y ddaear frown.

Yn sydyn gwelodd Cris Hopkin dŷ mawr gwyn ar ben y stryd. Trodd y dyn bach ato a gwenu fel plentyn.

"Tŷ'r Llywodraethwr," meddai'n falch. "Naduka aros yma."

2.

Roedd y Llywodraethwr yn eistedd y tu ôl i ddesg yn ei swyddfa lân a thaclus.

"Bore da," meddai gan godi i'w draed. "Felly, rydych chi newydd gyrraedd Lagos?"

"Ydw," atebodd Cris. "Roeddwn i ar y *Derry Enterprise* sy newydd ddod i mewn i'r harbwr."

"Ac roedd y daith yn dawel?"

"Oedd, Syr. Roedd hi'n dawel iawn."

"Rydw i'n falch o glywed hynny," sylwodd y Llywodraethwr. "Mae'r llong yna yn dod â dwy gasgen o bort imi. Eisteddwch i lawr, Mr . . . "

"Hopkin — Cris Hopkin."

"O ble rydych chi'n dod?"

"Cymro ydw i, Syr."

Agorodd y Llywodraethwr ddrôr a thynnodd ddau wydryn allan. Yna aeth i gwpwrdd yng nghornel yr ystafell a dod yn ôl a photel o wisgi ganddo. Dechreuodd arllwys y wisgi.

"Ydy wisgi yn iawn?" gofynnodd i'r llanc. "Mae sieri gen i hefyd."

"Dim diolch," meddai Cris yn gyflym. "Mae'n rhy gynnar yn y bore."

Gwagiodd y Llywodraethwr ei wydraid.

"Ydych chi wedi bod yng Ngorllewin Affrica o'r blaen, Mr Hopkin?"

"Nac ydw, ond fe ddarllenais i lawer o lyfrau am Affrica tra oeddwn i ar y llong."

"Beth rydych chi'n bwriadu ei wneud yma?"

"Mae'r llywodraeth wedi fy anfon i yma i wneud map o afon Yorba," esboniodd Cris.

Roedd wyneb y Llywodraethwr yn ddifrifol.

"Ond mae afon Yorba yn bell i fyny afon Niger," meddai.

"Rydw i'n gwybod hynny, Syr."

"Faint yw'ch oed chi?"

"Pedair ar hugain."

"Ac oedd eich llyfrau chi'n sôn am falaria a'r pry tse-tse?"

"Oedden, ond rydw i wedi penderfynu mynd ymlaen gyda'r cynllun."

Siglodd y Llywodraethwr ei ben yn araf. Bedd y dyn gwyn oedd Gorllewin Affrica.

"Fe fydd rhaid ichi chwilio am dywyswr," meddai.

"Dyna pam rydw i wedi dod i'ch gweld chi," esboniodd y llanc. "Ydych chi'n gwybod am dywyswr da yn Lagos?"

Meddyliodd y Llywodraethwr am foment.

"Rydw i wedi clywed bod Carter yn ôl yn Lagos," meddai.

"Carter?"

"Ie, John Carter. Mae'n dywyswr da — y gorau efallai. Mae e'n chwilio am waith."

Cododd Cris Hopkin o'i gadair.

"Ble mae Carter yn byw?"

Arllwysodd y Llywodraethwr wydraid arall o wisgi.

"Wn i ddim," atebodd. "Ond roedd e'n yfed yn y Regency y dydd o'r blaen."

Aeth Cris at y drws.

"Diolch am eich help," meddai.

Gwenodd y Llywodraethwr yn wan.

"Pob lwc ichi, Mr Hopkin," dywedodd. "Ond cymerwch ofal. Gwlad galed ydy Affrica, a dyn caled ydy John Carter!"

3.

Roedd Naduka yn dal i eistedd ar y grisiau o flaen tŷ'r Llywodraethwr gan aros i Cris Hopkin ddod allan.

"Rydw i eisiau mynd i westy'r Regency," dywedodd Cris wrtho. "Wyt ti'n gwybod ble mae e?"

Cododd y dyn bach y bagiau.

"Naduka gwybod popeth yn Lagos," meddai. "Dilynwch."

Adeilad mawr oedd y Regency ar gyrion Lagos. Roedd dyn tew yn rheoli'r gwesty. Matthews oedd ei enw, a dywedodd wrth Cris ei fod e'n dod o Fryste yn wreiddiol.

Dangosodd e ystafell i'r Cymro.

"Mae hi'n iawn," meddai Cris. "Faint ydy hi?"

"Dwy bunt yr wythnos," atebodd Matthews. "Mae hi'n rhad."

Rhoddodd Cris ddwy bunt iddo.

"Ydy, mae hi'n rhad," cytunodd.

Daeth Naduka â'r bagiau i mewn i'r ystafell a rhoddodd Cris arian iddo fe am ei help.

"Diolch, Massa," meddai'r dyn. "Peidiwch anghofio. Naduka . . . "

"Gwybod popeth yn Lagos," meddai Cris dan wenu. "Peidiwch â phoeni. Fydda i ddim yn anghofio. Hwyl nawr, Naduka."

Aeth e allan. Trodd Matthews at Cris Hopkin.

"Os oes eisiau rhywbeth arnoch chi," meddai, "fe fydda i'n . . . "

"Un peth," meddai Cris yn gyflym. "Ydy John Carter yn aros yn y gwesty 'ma?"

"Carter . . . ? Nac ydy. Pam?"

"Ond mae e'n dod yma i yfed."

"Ydy, ond fel arfer mae e'n mynd i'r Gath Ddu."

"Beth ydy'r Gath Ddu . . . gwesty?"

"Nage. Bar."

"Ydy e'n bell?"

"Ger yr harbwr. Gyda llaw, peidiwch â mynd yno yn y nos!"

4.

Penderfynodd Cris fwyta yn y Regency cyn mynd allan am y prynhawn. Pan aeth i lawr i'r ystafell fwyta gwelodd ei bod hi'n llawn o filwyr a dynion busnes mewn dillad trofannol.

Dewisodd fwrdd yng nghornel yr ystafell. Roedd merch yn eistedd wrth y bwrdd agosaf. Merch hardd iawn oedd hi, ac roedd gwallt du hir ganddi.

"Mae hi'n aros am rywun," meddyliodd y Cymro. "Tybed o ble mae hi'n dod."

Daeth gwas du â bwydlen iddo. Roedd llawer o'r eitemau ar y fwydlen yn newydd i Cris.

"Esgusodwch fi," meddai wrth y ferch. "Rydw i newydd gyrraedd Lagos. Dydw i ddim yn deall y fwydlen o gwbl."

"Dewiswch y cawl," awgrymodd hi. "Mae cig gafr ynddo fe."

Ceisiodd y ferch wenu, ond sylwodd Cris nad oedd ei gwên yn naturiol, fel petai cyfrinach drist ganddi.

Cyrhaeddodd e'r harbwr tua phedwar o'r gloch. Doedd neb ar y cei bellach, ac roedd y *Derry Enterprise* yn edrych yn wag. Aeth heibio i'r llong a rhwng y cytiau lle roedd pobl yr harbwr yn byw.

Cafodd e dipyn o sioc pan gyrhaeddodd far y Gath Ddu. Dim ond cwt oedd e, gyda llen yn lle drws.

Aeth drwy'r llen. Roedd dyn du yn sefyll y tu ôl i'r cownter ac roedd grŵp o ddynion gwyn yn chwarae cardiau o gwmpas bwrdd yng nghanol yr ystafell. Aeth Cris at y bar.

"Rhowch wydraid o gwrw imi," meddai wrth y gwas.

Tra oedd y gwas yn arllwys y ddiod gofynnodd Cris iddo:

"Ydy John Carter yma?"

"Ydy," meddai'r gwas. "Mae e wrth y bwrdd."

Trodd Cris i edrych ar y dynion gwyn.

"Arhoswch yma," ebe'r gwas. "Dydy Mr Carter ddim yn hoffi i neb siarad â fe pan mae e'n gamblo."

5.

Roedd y pedwar dyn o gwmpas y bwrdd wedi bod yn siarad yn dawel ond nawr dechreuodd eu lleisiau godi. Roedd un ohonyn nhw'n gweiddi yn Ffrangeg. Yn sydyn cododd y Ffrancwr a thaflodd ei gardiau at wyneb dyn mawr oedd yn eistedd gyferbyn ag e.

Cododd y dyn mawr yn ei dro a bwrw'r Ffrancwr i'r llawr ag un ergyd. Yna gafaelodd mewn chwaraewr cardiau arall a'i daflu yn erbyn wal y cwt.

Rhedodd y trydydd dyn allan o'r bar.

Cododd y Ffrancwr a'r ail chwaraewr yn araf, edrychon nhw ar y dyn mawr am eiliad, yna aethon nhw allan heb ddweud gair a heb gasglu'r arian oedd ar y bwrdd.

Daeth y dyn mawr at y cownter. Roedd y gwas wedi arllwys wisgi mawr iddo fe'n barod.

"Dyma chi, Mr Carter," meddai'n barchus.

"Fe dala *i* am y wisgi," dywedodd Cris Hopkin.

Trodd y dyn mawr ato fe.

"Pwy ydych chi?" gofynnodd.

"Cris Hopkin ydy fy enw i. Rydw i'n chwilio am dywyswr."

Edrychodd Carter arno fe gyda diddordeb newydd.

"Ble rydych chi eisiau mynd?"

"I fyny afon Yorba."

"Afon Yorba . . . i wneud beth?"

"Mapiau."

Meddyliodd Carter am funud.

"Faint ydy'r cyflog?"

"I chi? Dau gant o bunnau."

Chwarddodd y dyn mawr yn uchel.

"Meddyliwch eto," awgrymodd e. "Beth am bedwar cant o bunnau i mi, a chant arall i dalu i ddynion du am wneud y gwaith caled . . . Oes cwch gennych chi?"

"Nac oes."

"Cant arall am y cwch, felly."

Doedd dim llawer o ddewis gan Cris. Roedd rhaid wrth dywyswr profiadol.

"O'r gorau," meddai. "Ond fydda i ddim yn talu'r holl arian ichi ar unwaith. Cant o bunnau yfory, a thri chant ar ddiwedd y daith."

Cododd Carter ei wydryn i'w wefusau.

"Mae hynny'n rhesymol," cytunodd. "Nawr, gadewch inni siarad am fanylion y daith."

6.

Drannoeth cafodd Cris Hopkin neges gan Carter tra oedd e'n gorffen ei frecwast.

"Rydw i wedi dod o hyd i gwch addas," meddai'r neges. "Mae eisiau arian arna i."

Cododd y gŵr ifanc o'r bwrdd. Roedd Carter wedi gweithredu'n gyflym. Roedd rhaid i Cris fynd i'r banc ar unwaith.

Roedd banc y Marine ar y ffordd i'r harbwr. Aeth Cris i mewn a siarad â chlerc y tu ôl i'r cownter.

"Rydw i'n disgwyl arian o Brydain."

"Beth ydy eich enw chi, Syr?"

"Hopkin. Rydw i'n gweithio i'r llywodraeth."

"Oes papurau gennych chi, Mr Hopkin?"

"Oes."

Estynnodd Cris y dogfennau iddo. Edrychodd y clerc arnyn nhw'n ofalus.

"Diolch," meddai gan roi'r dogfennau yn ôl i Cris. "Fydda i ddim yn hir."

Pan ddaeth y clerc yn ôl roedd e'n gwenu.

"Fe ddaeth arian ichi ddoe, Syr," meddai. "Mil o bunnau."

Wedi gadael y banc cerddodd y Cymro i lawr i'r harbwr. Gwelodd e Carter yn sefyll ger cwch glas gan siarad â dyn gwyn arall.

"A, Hopkin," meddai Carter. "Dyma fy ffrind Conrad Schmidt o'r Almaen. Mae cwch ganddo fe i'w werthu."

Cyfeiriodd â'i law at y cwch glas. Doedd e ddim yn gwch mawr ond roedd yn edrych yn lân ac roedd y paent yn ffres.

"Ydy'r cwch yna'n ddigon o faint?" gofynnodd Cris.

"Ydy, mae'n berffaith," atebodd Carter. "Rydw i'n gyfarwydd iawn ag afon Yorba. Mae hi'n fas. Fe fyddai cwch mwy yn anobeithiol."

"Beth am y peiriant?"

"Mae'r peiriant bron yn newydd," meddai Schmidt. "Mae'n rhedeg yn dda."

"Ydy," cytunodd Carter. "Mae Schmidt yn gofalu'n dda am ei gychod. Oes arian gennych chi?"

"Oes," meddai'r Cymro. "Faint ydy'r cwch?"

"Cant a deg o bunnoedd," dywedodd yr Almaenwr yn gyflym. "Bargen, Herr Hopkin!"

7.

Wedi prynu'r cwch aeth Cris yn ôl i'r Regency ac aeth Carter i chwilio am ddynion du i weithio ar y cwch. Roedd y ferch â'r gwallt du yn eistedd yn lolfa'r gwesty pan aeth Cris i mewn. Gwelodd ef yn cyrraedd.

16

"Mr Hopkin . . . "

"Ie . . . ?"

"Gaf i air â chi, os gwelwch yn dda?"

Eisteddon nhw wrth fwrdd yn ymyl y ffenestr. Roedd wyneb y ferch yn ddifrifol iawn.

"Beth ydy'r broblem?" gofynnodd Cris. "Rydych chi'n edrych yn bryderus."

"Rydw i wedi clywed am eich taith i fyny afon Yorba," meddai hi. "Fe wnaeth fy nhad yr un daith ddwy flynedd yn ôl, ond ddaeth e ddim yn ôl."

"Eich tad?"

"Ie — yr Athro Benson. Wendy Benson ydw i. Roedd fy nhad yn astudio bywyd llwythau afon Yorba pan ddiflannodd."

"Ydych chi wedi cael unrhyw newyddion amdano?"

"Nac ydw." Roedd dagrau yn llygaid y ferch. "Ond mae'n rhaid imi gredu ei fod e'n fyw."

"Sut galla i eich helpu chi?" gofynnodd Cris.

"Rydw i eisiau mynd gyda chi."

Edrychodd ar y ferch hardd yn syn.

"Ydych chi o ddifri?"

"Ydw, rydw i o ddifri," meddai hi. "Rydw i'n dibynnu arnoch chi, Mr Hopkin."

8.

Yr un noson daeth y tywyswr Carter i ystafell fwyta'r Regency i drafod manylion y daith gyda Cris Hopkin. Roedd Wendy Benson yn eistedd gyda'r Cymro. Cyflwynodd e Carter iddi.

"Miss Benson . . . John Carter."

Eisteddodd Carter i lawr.

"Fe gyflogais i bedwar dyn y prynhawn 'ma," meddai wrth Cris. "Maen nhw'n gryf ac yn ufudd."

Petrusodd y Cymro am eiliad cyn dechrau siarad am dad Wendy Benson. Gwrandawodd Carter yn ofalus ar yr hanes, yna dywedodd:

"Roeddwn i gyda'r Athro Benson ar ei daith i fyny afon Yorba."

"Oeddech chi, wir?" meddai Wendy yn syn.

"Oeddwn. Roedd tri ohonon ni ar y cwch: yr Athro Benson, y capten a minnau. Fe glywais i fod y capten, Lawrenson, wedi marw yn y Congo chwe mis yn ôl."

"A fy nhad? . . . Beth amdano fe?"

Siglodd Carter ei ben.

"Roedd llwythau afon Yorba yn paratoi am ryfel," meddai. "Fe ddywedais i wrth yr athro fod y sefyllfa yn beryglus, yn rhy beryglus i fynd ymlaen. Fe gytunodd Lawrenson â fi. Ond roedd eich tad yn ystyfnig. Fe aeth e ymlaen ar ei ben ei hun mewn canŵ."

"Mae Miss Benson — Wendy — eisiau dod gyda ni," meddai Cris. "Chi ydy'r tywyswr, Carter. Fydd hynny yn bosibl?"

Roedd Chris yn disgwyl i Carter ofyn am fwy o arian i ofalu am Wendy ar y daith, ond ofynnodd e ddim am geiniog.

"Fe fydd yn bleser helpu merch hyfryd fel chi, Wendy," meddai. "Ydych chi'n gallu coginio?"

"Ydw," atebodd y ferch. "Ac rydw i eisiau bod yn ddefnyddiol."

"Pryd bydd y cwch yn barod?" gofynnodd Cris i Carter.

"Fe fydd rhaid inni brynu bwyd, gynnau a bwledi yfory," meddai'r tywyswr. "Fe fyddwn ni'n barod i adael Lagos erbyn y penwythnos."

9.

Cychwynnon nhw ar eu taith pan dorrodd y wawr ar bennau'r coed uchel o gwmpas tref Lagos. Roedd lliwiau'r wawr yn hyfryd ac roedd awyr y bore yn glir cyn i niwl yr afon godi gyda'r gwres. Roedd Wendy Benson yn teimlo'n hapus am y tro cyntaf ers dwy flynedd.

Cyn hir roedd y ferch yn brysur yng nghegin y cwch, tra oedd Carter yn trefnu pethau ar y dec ac yn gwneud yn siŵr bod digon o goed sych yn barod i fwydo'r peiriant.

Aeth Cris Hopkin ar y dec hefyd. Roedd siartiau ganddo. Roedd rhaid iddo eu cymharu â chwrs yr afon er mwyn gweld a oedden nhw'n gywir neu beidio.

Teithion nhw i fyny afon Niger am ddeg diwrnod, ond ddim yn ystod y nos. Wrth i'r haul fachlud bydden nhw'n bwrw angor tan y bore.

Roedd lamp olew ganddynt; felly roedden nhw'n gallu darllen neu chwarae cardiau bob nos. Yn anffodus roedd y lamp yn denu mosgitos ac roedd rhaid iddynt ddodi llen ar y ffenestr er mwyn eu cadw o'r caban.

Doedd y gweithwyr du ddim yn dod i mewn i'r caban o gwbl. Roedden nhw'n gweithio, bwyta a chysgu ar y dec. Grŵp hapus oedden nhw, yn canu ac yn chwerthin trwy'r amser.

Roedd Wendy yn ofni dal malaria.

"Oes rhaid i fi gymryd cwinîn bob dydd?" gofynnodd hi i Carter.

"Nac oes — os ydych chi'n teimlo'n iawn," atebodd. "Ond os byddwch chi'n teimlo'n sâl, rhaid ichi gymryd cwinîn ar unwaith."

Aeth popeth yn iawn nes iddynt o'r diwedd gyrraedd afon Yorba, lle roedd Cris Hopkin yn mynd i wneud mapiau newydd . . .

10

Roedd y Cymro yn eistedd ar y dec gan lunio map pan glywodd e Carter yn gweiddi ar y duon:

"Ewch i nôl polion. Brysiwch, brysiwch!"

Roedd Carter yn edrych yn bryderus. Cododd Cris ar ei draed.

"Beth sy'n bod?" gofynnodd. "Problemau?"

"Mae'r afon yn fas yma," esboniodd y tywyswr. "Dydy'r dŵr ddim yn ddigon dwfn i'r cwch mewn mannau."

Daeth y duon yn ôl gan gario polion hir. Dechreuon nhw ddodi'r polion yn y dŵr i fesur ei ddyfnder.

"Roeddwn i'n brysur gyda'r peiriant," meddai Carter. "Welodd y duon ddim bod hwn yn lle peryglus. Does dim synnwyr cyffredin ganddyn nhw."

Yn sydyn stopiodd y cwch a dechreuodd y peiriant gwyno.

"Mae'r cwch wedi rhedeg ar fanc tywod," meddai Carter wrth y gweithwyr. "Rhaid ichi ei dynnu'n rhydd. Neidiwch i'r dŵr!"

Petrusodd y dynion am eiliad ond pan welon nhw Carter yn dod atynt â'i ddryll yn ei law dechreuon nhw neidio i'r dŵr tywyll.

"Hopkin!"

"Ie . . . ?"

"Ewch i lawr a chyflymwch y peiriant. Mae'n rhaid i mi aros ar y dec i lywio."

Aeth Cris i lawr y grisiau ar unwaith ac i mewn i ystafell y peiriant.

"Ydych chi'n barod?" gwaeddodd Carter.

"Ydw."

"Nawr!"

Cyflymodd Cris y peiriant a dechreuodd y cwch symud i'r chwith.

"Digon!" gwaeddodd Carter eto.

Arhosodd y Cymro am rai munudau, yna aeth allan ar y dec. Roedd Wendy yno hefyd; roedd hi wedi mynd i weld beth oedd yn digwydd.

Roedd tri o'r gweithwyr wedi dringo o'r dŵr yn barod, ond roedd y pedwerydd yn yr afon o hyd. Roedd rhywbeth yn ei rwystro rhag dringo ar y cwch. Yna gwaeddodd un o'r lleill yn gyffrous:

"Crocodeil, Massa. Crocodeil!"

Dechreuodd y dyn yn yr afon weiddi am help. Roedd y dŵr o'i gwmpas yn troi'n goch. Gwelon nhw gynffon y crocodeil yn codi o'r dŵr.

"Carter. Gwnewch rywbeth," erfyniodd Wendy. Roedd ei hwyneb yn llwyd.

Cododd y tywyswr ei reiffl.

"CRAC . . . CRAC . . . "

Saethodd ddwywaith. Peidiodd y dyn â gweiddi a diflannodd ei gorff dan y dŵr.

Edrychodd Wendy a Cris ar Carter yn syn. Trodd y tywyswr atynt.

"Weloch chi mo'r gwaed?" gofynnodd. "Roedd y dyn yn mynd i farw beth bynnag. Fe wnes i ffafr ag e!"

11.

Dilynodd Cris Hopkin y tywyswr yn ôl i'r caban. Arhosodd Wendy ar y dec. Aeth Carter yn syth at y drôr lle roedd e'n cadw ei fwledi. Cymerodd ddwy fwled a'u gosod yn y reiffl. Yna trodd at y Cymro. Roedd wyneb Cris Hopkin yn wyn.

"Carter," meddai. "Doedd dim rhaid ichi saethu'r dyn. Pam na cheisioch chi ei achub?"

Syllodd Carter arno.

"Dim ond bachgen ydych chi, Hopkin," atebodd. "Dydych chi ddim yn deall dim. Fi ydy'r tywyswr a fi sy'n gyfrifol am bawb a phopeth ar y cwch 'ma."

Cerddodd tua'r drws ond roedd Cris yn cau ei

ffordd.

"Rydych chi wedi lladd dyn," meddai.

"Ydw," addefodd Carter. "Ond dim ond dyn du oedd e."

Roedd y Cymro yn chwilio am eiriau; roedd e'n teimlo mor grac.

"Roedd y dyn yna yn gweithio i mi," meddai o'r diwedd. "Felly roedd e'n gweithio i'r llywodraeth Brydeinig. Fe fydda i'n trafod y mater gyda'r Llywodraethwr yn Lagos."

Gwenodd Carter yn oeraidd.

"Peidiwch ag anghofio un peth, Hopkin," sylwodd. "Mae eich bywyd chi a bywyd Wendy Benson yn dibynnu arna i. Mae'r jyngl yn beryglus. Fe fydd y Llywodraethwr mor hapus i'ch gweld chi eto, fydd e ddim yn meddwl am faint o ddynion du y byddwn ni wedi eu colli yn ystod y daith . . . "

Fel rheol roedd y duon yn siarad ac yn chwerthin wrth weithio, ond ar ôl marwolaeth eu ffrind gweithion nhw mewn distawrwydd. Bellach roedden nhw'n defnyddio polion trwy'r amser er mwyn osgoi banc tywod arall. Doedden nhw ddim eisiau mentro i mewn i'r afon dywyll lle roedd y crocodeil yn frenin.

Doedd y gwynion ar y cwch ddim yn siarad llawer iawn chwaith.

Un bore gwelon nhw gwt ar lan yr afon. Stopiodd Carter y cwch ac aeth mewn canŵ i weld pwy oedd yn byw yno. Arhosodd Wendy a Cris ar y cwch.

Pan gyrhaeddodd Carter y tir daeth dyn du allan

o'r cwt. Dechreuodd Carter siarad â fe mewn iaith ddieithr. Dywedodd Carter yr enw Benson ddwywaith neu dair ac atebodd y dyn gan godi ei law a chyfeirio at rywle i fyny'r afon.

Pan ddaeth Carter yn ôl i'r cwch roedd Wendy a Cris yn awyddus iawn i glywed ei newyddion.

"Pysgotwr ydy'r dyn yna," meddai'r tywyswr wrthyn nhw. "Mae e'n gyfarwydd iawn ag afon Yorba."

"Beth ddywedodd e am fy nhad?" gofynnodd Wendy'n eiddgar.

"Mae e'n fyw."

"Yn fyw!" Roedd llygaid y ferch yn disgleirio. "Ble mae e?"

"Mae e'n aros gyda llwyth cyfeillgar. Y Korshi ydy enw'r llwyth."

"Ond pam na ddaeth e'n ôl i Lagos?" gofynnodd y ferch.

"Roedd e'n sâl," esboniodd Carter. "Ond nawr mae e'n gwella."

"Gadewch inni ymweld â phentref y Korshi," meddai Cris. "Ydy e'n bell?"

"Nac ydy; ond mae'n rhaid inni fod yn ofalus. Mae'r Korshi yn gyfeillgar ar hyn o bryd ond mae tymer llwythau afon Yorba yn newid bron bob dydd."

Trodd Carter at ddrws y caban.

"Rydw i wedi dod â newyddion da ichi, Wendy," meddai. "Gadewch inni ddathlu'r newyddion gyda gwydraid o wisgi."

Cris Hopkin a welodd y pentref gyntaf. Roedd y cytiau bach yn sefyll mewn grŵp ar lan yr afon. Galwodd e ar Carter oedd yn gweithio yn ystafell y peiriant.

"Beth sy'n bod?" gofynnodd y tywyswr. Roedd ei ddwylo yn olew i gyd.

Pwyntiodd Cris at y cytiau.

"Pentref y Korshi ydy hwn," dywedodd Carter. "Dewch gyda fi."

Aethon nhw i'r caban. Agorodd Carter gwpwrdd a thynnu dau reiffl allan.

"Fe fyddan nhw'n dod at y cwch mewn canŵod," meddai. "Byddwch yn barod i saethu os bydd pethau'n mynd o chwith."

Aethon nhw allan i'r dec. Roedd Wendy yno'n barod ac roedd dau ganŵ wedi gadael y pentref ar eu ffordd i'r cwch.

Roedd pedwar neu bump o ddynion ym mhob canŵ. Wrth iddyn nhw weld Carter a Cris yn sefyll ar y dec cododd rhai ohonyn nhw ar eu traed a dechrau taflu picellau a dartiau at y cwch.

Cododd Carter ei reiffl heb betruso. Saethodd dair gwaith.

Syrthiodd un o'r brodorion i'r afon.

"Saethwch!" gorchmynnodd Carter yn grac.

Cododd y Cymro ei ddryll a saethodd uwchben y dynion yn y canŵod. Roedd e eisiau codi ofn arnyn nhw ond nid eu lladd nhw.

Yn sydyn cwympodd un o'r gweithwyr ar y dec.

Roedd e wedi cael ei frifo gan ddart. Gwelodd Carter Wendy yn mynd i helpu'r dyn a gwaeddodd arni hi:

"Ewch i'r caban, ffŵl. Mae gwenwyn ar y dartiau yna!"

Tra oedd e'n siarad peidiodd y dartiau a'r picellau. Roedd y brodorion yn ffoi yn ôl i'r pentref.

Sychodd Carter ei wyneb â hances.

"Mae'n rhaid inni droi'n ôl," meddai wrth Cris Hopkin. "Fe feddylia i am ffordd arall i ffeindio'r Athro Benson."

13.

Cyrhaeddodd y cwch bentref arall cyn yr hwyr, a'r tro yma cawson nhw groeso. Llwyth o'r enw Nentis oedd yn byw yn y pentref yma. Roedd pennaeth y llwyth yn ffrind i Carter.

Dyn byr, tew oedd y pennaeth, ac roedd e'n siarad ychydig o Saesneg. Matto oedd ei enw. Gwahoddodd nhw i fynd i mewn i'w gwt a chael swper gyda fe.

Cyn hir roedd Cris, Carter, Wendy a Matto yn eistedd ar lawr y cwt gan rannu sosban fawr yn llawn o gawl gwyrdd poeth.

"Beth sy yn y cawl 'ma?" gofynnodd Cris. "Mae'n flasus dros ben."

"Llysiau . . . " esboniodd Carter. "Llysiau'r jyngl. Maen nhw'n dweud eu bod nhw'n dda at falaria."

"Beth am y cig?" gofynnodd Wendy.

Chwarddodd Matto yn uchel.

"Mwnci," meddai. "Hi, hi, hi . . . "

Tra oedd Cris a Wendy yn bwyta dechreuodd y ddau arall siarad yn iaith y Nentis. Roedd yn amlwg eu bod nhw'n ffrindiau da achos eu bod nhw'n gwenu a chwerthin trwy'r amser. Yna, pan agorodd Carter botel o wisgi, penderfynodd Cris a'r ferch fynd allan am dro bach.

Roedd yr haul wedi machludo ond roedd y brodorion yn eistedd o gwmpas tanau o dan y sêr.

"Massa Hopkin!"

Troion nhw a gweld y dyn oedd wedi cael ei frifo gan ddart y Korshi. Roedd e'n gorwedd ger un o'r tanau ac roedd merch tua phymtheg oed yn rhoi llysiau ar ei goes.

"Sut rwyt ti'n teimlo, Joseff?" gofynnodd Cris i'r dyn.

"Gwell, Massa," meddai Joseff. "Diolch i Lise."

Cododd y ferch ei phen a syllodd ar wyneb Cris Hopkin. Roedd ganddi lygaid mawr tywyll ac roedd ei hwyneb hi mor hardd â wyneb angel.

14.

Gwellodd Joseff yn gyflym dan ofal Lise. Ond roedd problem newydd gan Cris Hopkin. Tra oedd Joseff yn cysgu neu'n gorffwys roedd Lise yn dilyn y Cymro i bob man, fel ci bach.

Roedd Lise wedi torri ei choes pan oedd hi'n

blentyn a nawr roedd hi'n gloff. Merch ryfeddol oedd hi. Roedd y Nentis yn credu ei bod hi'n gallu proffwydo'r dyfodol. Hi oedd meddyg y llwyth, er ei bod hi mor ifanc.

"Masgot y llwyth ydy Lise," esboniodd Joseff wrth Cris. "Mae hi'n dod â lwc i'r Nentis. Petai unrhyw un yn niweidio Lise fe fyddai'n talu gyda'i fywyd!"

Roedd Cris yn ymweld â Joseff yn aml.

"Sut mae Joseff?" gofynnodd Wendy un diwrnod.

"O, mae e'n dod ymlaen," atebodd Cris.

"Fe ddylwn i fod wedi gofyn sut mae Lise," meddai Wendy yn llym.

"Lise . . . ?"

Roedd Cris wedi sylwi ar y dôn finiog yn llais Wendy.

"Ie, Lise. Yr un sy'n eich dilyn chi i bob man."

Syllodd e arni hi.

"Wendy, peidiwch â bod mor . . . "

Arhosodd hi ddim iddo orffen y frawddeg. Rhedodd hi allan o'r cwt.

Daeth Cris o hyd iddi ar lan yr afon. Roedd hi'n wylo fel plentyn.

"Wendy. Beth sy'n bod?"

Cymerodd e hi yn ei freichiau, a'i chusanu ar ei thalcen ac ar ei bochau.

"Doeddwn i ddim yn gwybod," meddai wrthi.

Ceisiodd y ferch wenu.

"Maddeuwch imi, Cris. Maddeuwch imi. Roeddwn i'n eiddigeddus, dyna'r cwbl. Does dim bai ar

Lise; arna i mae'r bai."

Cusanodd e hi ar y gwefusau eto a'i thynnu hi ato.

"Wyt ti'n iawn nawr?" gofynnodd yn dyner.

Roedd Wendy yn teimlo'n ddiogel ym mreichiau'r Cymro.

"Ydw," meddai gan wenu'n swil. "Rydw i'n iawn."

Wrth iddyn nhw gyrraedd y pentref roedd Joseff yn aros amdanyn nhw.

"Rydw i newydd siarad â Lise," meddai. "Mae hi wedi cael breuddwyd."

"Pa fath o freuddwyd?" gofynnodd Cris.

"Breuddwyd drwg, Massa," ebe Joseff. "Yn ôl breuddwyd Lise fe fydd un o'r gwynion yn marw yn y pentref 'ma!"

15.

Roedd newyddion gan Carter i Cris a Wendy.

"Mae Matto wedi cytuno i anfon dynion i bentref y Korshi," meddai. "Fe fyddan nhw'n dweud wrth yr Athro Benson eich bod chi yma, Wendy."

"Ydych chi eisiau i mi ysgrifennu llythyr at fy nhad?" gofynnodd y ferch.

Siglodd Carter ei ben.

"Rydw i wedi ysgrifennu llythyr yn barod," dywedodd. "Mae'r llythyr yn nodi'r problemau. Oes rhywbeth gennych chi y byddai eich tad yn ei adnabod — modrwy neu freichled er enghraifft?"

Meddyliodd y ferch am eiliad.

"Mae breichled aur gen i, ond mae hi'n newydd . . . O, y clustlysau." Agorodd hi'r pwrs a hongiai o'i gwregys. "Roedd y clustlysau'n anrheg gan fy nhad. Fe fydd yn eu hadnabod nhw ar unwaith."

Tynnodd hi bâr o glustlysau perl o'r pwrs, a'u rhoi i Carter.

"Iawn," meddai'r tywyswr. "Fel y gwelwch chi, mae'n rhy beryglus i ni fynd i wlad y Korshi. Gobeithio y bydd yr Athro Benson yn gallu dod yma."

Ddiwedd y prynhawn roedd Cris yn brysur yng nghaban y cwch gyda'i fapiau ac roedd Carter yn yfed ar y dec gyda Matto.

Penderfynodd Wendy fynd am dro ar lan yr afon. Roedd hi'n teimlo'n hapus iawn. Byddai'n gweld ei thad cyn bo hir, ac roedd hi wedi mynegi ei theimladau wrth Cris Hopkin. Roedd y jyngl o'i chwmpas yn llawn o fywyd a sŵn a lliwiau swynol. Doedd hi ddim eisiau i'r haul fachludo ar ddiwrnod mor hyfryd.

Aeth i sefyll dan goeden enfawr gan edrych ar yr afon fawr yn llifo heibio heb frys.

Yn sydyn trodd ei phen a gweld Lise yn sefyll bum llathen i ffwrdd. Roedd y ferch yn syllu arni hi, ac roedd golau rhyfedd yn ei llygaid.

Agorodd Wendy ei cheg i ddweud rhywbeth. Dyna pryd y gwelodd hi'r gyllell yn llaw Lise . . .

16.

Cododd Cris Hopkin o'r bwrdd a rhwbiodd ei lygaid. Roedd e wedi blino. Roedd wedi gweithio ar y mapiau trwy'r prynhawn. Ymhen hanner awr byddai hi'n dywyll. Aeth i fyny'r grisiau i'r dec lle roedd Carter a Matto yn rhannu potelaid o wisgi ac yn siarad yn uchel iawn.

"Hopkin! Dewch i ymuno â ni."

Roedd Carter yn gwenu'n hapus. Roedd e wedi bod mewn tymer dda trwy'r dydd. Doedd Cris ddim yn ei ddeall e o gwbl. Roedd Carter wedi saethu'r dyn yn yr afon heb betruso a heb ailfeddwl. Ond nawr roedd e'n gwneud ei orau glas i helpu Wendy i ffeindio ei thad. Dyn cymhleth ydych chi, Carter, meddyliodd Cris, ond siaradodd am fater arall.

"Ydych chi wedi gweld Wendy?" gofynnodd.

Cododd Carter ei wydryn. Roedd e wedi yfed mwy na digon.

"Fe aeth hi am dro yn y pentref," atebodd gyda winc. "Rydych chi'n gweithio'n rhy galed, Hopkin. Fe fyddai'n well ichi dreulio tipyn o amser gyda hi." ·

"Efallai ei bod hi'n ymweld â Joseff," meddai Cris. "Fe af i weld. Hwyl nawr."

Doedd Wendy ddim gyda Joseff ond dywedodd hwnnw ei fod wedi ei gweld hi'n cerdded ar lan yr afon.

"Mae'n tywyllu," meddai'r Cymro. "Fe af i chwilio amdani hi."

Dilynodd yr afon am ddau ganllath cyn cyrraedd y goeden enfawr lle roedd y ddwy ferch yn wynebu ei gilydd o hyd. Sylwodd Cris ar unwaith fod rhywbeth o'i le. Roedd yr awyrgylch yn hollol annaturiol.

Edrychodd Cris ar Wendy, wedyn edrychodd ar Lise. Roedd gwefusau Lise yn symud ac roedd sŵn tawel a rhyfedd yn dod o'i cheg. Doedd y Cymro ddim wedi clywed sŵn fel yna erioed. Pan welodd fod cyllell ganddi ceisiodd fynd ati — ond doedd e ddim yn gallu symud ei goesau! Roedd fel petai llen anweledig rhyngddo a'r ddwy ferch.

Dechreuodd Lise gerdded yn araf tua'r lle roedd Wendy yn sefyll fel delw. Roedd Lise yn dal y gyllell o'i blaen yn ei llaw dde. Yn sydyn cododd hi ei llaw chwith yn uchel uwch ei phen mewn symudiad esmwyth, fel petai hi'n ceisio cyffwrdd â changhennau isaf y goeden.

Edrychodd Cris i fyny, bron heb anadlu. Roedd un o'r canghennau yn symud uwchben Wendy. Roedd y gangen yn hongian yn yr awyr ac yn symud yn y gwynt. Ond doedd dim gwynt . . .

Daeth y gwir i'r Cymro mewn fflach. Nid cangen oedd hi ond neidr ddu a melyn. Cobra oedd hi, neidr fwya gwenwynig Affrica!

Roedd y cobra yn edrych ar fraich noeth Lise ac yn gwrando ar ei llais. Roedd y ferch yn ceisio denu'r neidr i ddod i lawr o'r gangen heb niweidio Wendy. Petrusodd y cobra am funud, yna dechreuodd groesi o'r gangen i fraich Lise.

Roedd chwys yn rhedeg i lawr wyneb Cris Hopkin. Roedd pen y cobra ar fin cyrraedd gwddf Lise. Roedd Cris eisiau gweiddi rhybudd ond doedd e ddim yn gallu agor ei geg.

"Defnyddiwch y gyllell . . . y gyllell." Roedd y distawrwydd fel hunllef.

Yn sydyn torrodd y swyn a rhedodd Wendy nerth ei thraed i'r lle roedd Cris yn sefyll. Cymerodd e hi yn ei freichiau. Roedd hi'n crynu fel deilen.

"Cris, roedd ofn mawr arna i."

"Rydw i'n deall. Rydw i'n deall."

Roedd e'n dal Wendy ond roedd e'n edrych ar y ferch dan y goeden. Roedd hi wedi taflu'r gyllell i ffwrdd. Doedd dim angen cyllell arni hi nawr. Roedd hi'n eistedd ar y ddaear gan siglo'r cobra yn ei breichiau fel baban.

17.

Yr un noson ymwelodd Wendy a Cris â'r cwt lle roedd Lise yn gofalu am Joseff.

"Ga i ddod i mewn?" gofynnodd Cris. "Mae Wendy gyda fi."

"Cewch," meddai Joseff gan godi ar ei draed. Roedd e'n teimlo'n llawer gwell ar ôl triniaeth Lise.

Aethon nhw i mewn i'r cwt. Roedd Lise yng nghanol yr ystafell yn paratoi math o gawl i Joseff.

"Lise . . . " meddai Wendy braidd yn betrus. "Rydw i eisiau dweud diolch iti am heno. Fe wnest ti achub fy mywyd i."

Edrychodd y ferch arni heb ddweud gair.

"Dydy Lise ddim yn siarad Saesneg," esboniodd

Joseff.

"Fedri di gyfieithu inni?" gofynnodd Cris.

"Medra."

Dechreuodd Joseff siarad yn iaith y llwyth. Yn y cyfamser tynnodd Wendy ei breichled o'i harddwrn a'i hestyn i'r ferch. Cymerodd Lise y freichled a throdd i ddweud rhywbeth wrth Joseff.

"Beth ddywedodd hi?" gofynnodd Wendy'n bryderus. Doedd hi ddim eisiau digio Lise.

"Chi a Lise . . . chwiorydd," meddai Joseff dan wenu.

Chwarddodd Lise yn uchel. Roedd yn amlwg ei bod hi'n hapus iawn gyda'r anrheg.

Chwarddodd Cris a Wendy hefyd.

"Chwiorydd," meddyliodd Wendy.

Edrychodd Cris arni. Roedd Wendy yn edrych mor hapus â Lise.

Roedd Carter wedi mynd i'r gwely yn barod, ond arhosodd Cris a Wendy yng nghaban y cwch gan siarad â'i gilydd.

"Felly rwyt ti wedi colli breichled a chlustlysau," sylwodd Cris.

"Dydw i ddim wedi colli dim byd," meddai Wendy. "Rydw i wedi ennill chwaer ac rydw i'n mynd i weld fy nhad cyn bo hir."

Edrychodd hi arno. Roedd yn amlwg bod rhyw-beth yn ei boeni.

"Beth sy'n bod, Cris?" gofynnodd. "Pam wyt ti'n edrych mor ddifrifol?"

Ceisiodd y llanc wenu.

"Roeddwn i'n meddwl . . . "

"Am beth?"

"Tybed pam gofynnodd Carter iti roi'r clustlysau iddo?"

"Mae hynny'n amlwg," atebodd Wendy. "Er mwyn i fy nhad fod yn siŵr fy mod i yma."

"Ond sgrifennodd Carter lythyr at dy dad yn dweud yr un peth."

Siglodd Wendy ei phen.

"Nid ditectif wyt ti, Cris, ac rydw i wedi blino. Mae'n rhaid inni ymddiried yn Carter. Does dim dewis gennyn ni."

18.

Ddau ddiwrnod yn ddiweddarach roedd Wendy yn y pentref gyda Lise a Joseff. Roedd y ddwy ferch yn siarad â'i gilydd ac roedd Joseff yn cyfieithu iddyn nhw.

Yn sydyn peidiodd Lise â siarad a throdd ei phen fel petai hi'n gwrando ar rywbeth y tu ôl i'r coed.

"Beth sy'n digwydd?" gofynnodd Wendy i Joseff.

Ond roedd Joseff yn gwrando hefyd. Yna clywodd Wendy sŵn drwm yn y pellter.

"Mae'r rhyfelwyr yn dod yn ôl," meddai Joseff o'r diwedd. "Maen nhw wedi bod yn llwyddiannus."

Rhedodd Wendy at y cwch, ond roedd Carter a Cris Hopkin wedi clywed y drwm hefyd ac roedden nhw ar eu ffordd i'r pentref. Edrychai'r tywyswr wrth ei fodd.

"Chlywaist ti mo'r drwm?" meddai'n hapus. "Mae'r rhyfelwyr yn dod â'r athro. Fyddan nhw ddim yn hir, Wendy."

Roedd yr Athro Benson yn edrych yn fach iawn rhwng rhyfelwyr tal y Nentis. Rhedodd Wendy ato a thaflu ei breichiau o'i gwmpas.

"O, Dad," meddai hi. "Rwyt ti wedi colli pwysau. Wyt ti'n iawn?"

"Ydw, Wendy. Rydw i'n iawn."

Roedd llais yr athro yn wan ac roedd ei wyneb yn denau. Roedd yn amlwg iddo fod yn sâl am amser hir. Cymerodd Carter gam ymlaen.

"Croeso, Benson," meddai. "Roeddwn i'n edrych ymlaen at eich gweld chi eto."

Roedd gwên ar wyneb Carter, ond roedd Benson yn edrych yn ddifrifol.

"Felly rydych chi wedi ennill, Carter," sylwodd yn sych.

"Fe fydd llawer o amser gennyn ni i siarad am fusnes," dywedodd Carter wrtho. "Dyna gwt gwag. Mae'n rhaid ichi esbonio pethau wrth eich merch."

Aeth Wendy a'i thad i mewn i'r cwt. Petrusodd Cris Hopkin cyn eu dilyn nhw. Edrychodd ar Carter a gwenodd y tywyswr arno'n oeraidd.

"Ewch i mewn, Hopkin," meddai. "Fe fydd eisiau ffrindiau ar yr Athro Benson!"

19.

Roedd rhaid i dad Wendy orffwys ar ôl y daith hir. Wedi iddo ddeffro bwytaodd dipyn bach a dechreuodd ddweud ei hanes wrth Wendy a Cris Hopkin.

"Fe deithiais i fyny afonydd Niger a Yorba mewn cwch oedd yn perthyn i forwr o'r enw Lawrenson."

"Mae Carter wedi sôn amdano fe," meddai Wendy.

"Fe ddaeth Carter gyda ni. Roedd yn amhosibl inni deithio heb dywyswr."

"Ai chi oedd y gwynion cyntaf i fentro i'r ardal hon?" gofynnodd Cris.

Siglodd Benson ei ben.

"Nage. Fe ddaeth Ffrancwr o'r enw Marchand yma ddeng mlynedd ar hugain yn ôl. Fe ddarganfuodd e drysor mawr yng ngwlad y Korshi."

"Trysor?" ebe Wendy yn syn.

"Ie. Ysgrifennodd Marchand lyfr amdano. Daeth o hyd i'r trysor dan adfeilion hen ddinas yng nghanol y jyngl."

"Ble mae'r trysor nawr?" gofynnodd Cris.

"Yn yr un lle. Roedd Marchand yn teithio ar ei ben ei hun mewn canŵ. Fe aeth e â rhai gemau yn unig yn ôl i Ffrainc."

Yfodd e beth coffi cyn mynd yn ei flaen.

"Fe astudiais i'r llyfr am chwe mis," meddai. "Doedd Marchand ddim eisiau ysgrifennu'n rhy glir am leoliad y trysor; ond ar ôl astudio'r llyfr fe lwyddais i i wneud map syml i'm helpu ar fy ffordd.

Wrth gwrs soniais i ddim am y map wrth Carter a Lawrenson. Fe ddywedais i fy mod i'n mynd yno i astudio bywyd y llwythau."

"Ond fe ffeindiodd Carter y map," ochneidiodd Cris.

"Do, fe aeth e drwy fy mhapurau i gyd. Roeddwn i'n bwriadu mynd i weld y trysor ar fy mhen fy hun a chymryd nodiadau ond fe glywais i Carter yn siarad am y map gyda Lawrenson. Roedden nhw'n cynllwynio i ddwyn y trysor."

"Beth ddigwyddodd?"

"Un noson fe losgais i'r map, rhedeg i ffwrdd o'r cwch a mentro i mewn i'r jyngl. Roeddwn i'n lwcus. Fe gyrhaeddais i bentref y Korshi. Maen nhw wedi bod yn gyfeillgar iawn tuag ata i."

"Ydych chi wedi ceisio mynd yn ôl i Lagos?" holodd Cris.

"Nac ydw. Roedd malaria arna i am fisoedd a doedd dim cwinîn gen i. Doeddwn i ddim yn ddigon cryf i deithio. Ond pan welais i lythyr Carter a chlustlysau Wendy . . . "

Roedd llygaid yr athro yn llawn dagrau.

"Ydych chi wedi gweld y trysor?" gofynnodd Cris.

"Ydw, sawl gwaith. Rydw i wedi tynnu lluniau hefyd. Roeddwn i'n mynd i ysgrifennu llyfr amdano; ond nawr fe fydd yn rhaid imi arwain Carter at y trysor neu fe fydd e'n siŵr o niweidio Wendy."

Dechreuodd tymer y Cymro godi.

"Fe af i weld Carter ar unwaith," meddai. "Os bydd eisiau brwydr arno fe . . . "

"Paid, Cris," erfyniodd Wendy. "Mae gormod o ffrindiau ganddo fe yn y llwyth. Mae'n rhaid inni feddwl am ffordd arall."

20.

Roedd y nos yn dywyll iawn a doedd dim sêr i'w gweld. Aeth Cris Hopkin heibio i gwt Matto lle roedd y pennaeth a'r brodorion yn yfed wisgi gyda Carter. Clywodd Cris lais y tywyswr yn glir; roedd e'n canu yn Saesneg. Roedd yn amlwg ei fod wedi meddwi.

Cerddodd Cris yn syth at y cwch a dringodd y planc yn ofalus. Doedd e ddim eisiau cwympo i mewn i'r dŵr tywyll. Roedd y cwch yn dawel; roedd Joseff a'r lleill yn aros yn y pentref. Aeth y Cymro yn syth i lawr i'r caban.

Goleuodd y lamp olew ac edrychodd ar y cwpwrdd yng nghornel yr ystafell. Roedd clo haearn mawr ar ddrws y cwpwrdd. Roedd Cris yn gwybod bod Carter yn cadw gynnau y tu ôl i'r drws yna. Roedd rhaid iddo fe dorri'r clo.

Aeth i mewn i ystafell y peiriant gan gario'r lamp. Gwelodd e far haearn ar y llawr. Roedd y tywyswr yn defnyddio'r bar yna i brocio'r tân. Fyddai'r bar yn ddigon cryf i dorri'r clo?

Aeth e'n ôl i'r caban a dechrau gweithio ar ddrws y cwpwrdd. Cyn hir roedd chwys yn rhedeg i lawr ei gorff ac roedd ei ddwylo a'i freichiau ar dân. Caeodd ei ddannedd yn dynn gan felltithio'r clo yn arw.

"Uff!"

Roedd y clo wedi ei dorri. Gosododd Cris y bar i lawr ac agorodd ddrws y cwpwrdd.

Roedd yn wag.

21.

Drannoeth ymwelodd Carter â Wendy a'r athro yn eu cwt.

"Rydw i'n mynd i siarad yn blaen," meddai wrthyn nhw. "Rydw i wedi cadw fy ngair. Rydw i wedi ffeindio'r Athro Benson."

Ydych, rydych chi wedi cadw eich gair, meddyliodd Wendy yn chwerw, ond ddywedodd hi ddim byd. Aeth Carter yn ei flaen.

"Rydw i'n gofyn am un ffafr yn unig, Benson. Rydw i eisiau mynd i weld y trysor gyda chi. Wedyn fe hwyliwn ni i gyd i lawr yr afon ac yn ôl i Lagos."

"Ydych chi'n credu fy mod i'n dwp?" gofynnodd yr athro. "Rydych chi eisiau mynd â'r trysor i ffwrdd yn y cwch."

"Pam lai?" meddai Carter. "Mae e'n pydru yn y jyngl."

Trodd at y drws.

"Os oes rhaid imi fynd yn ôl i Lagos heb y trysor," meddai, "fyddwch chi ddim ar y cwch chwaith. Cofiwch, mae gynnau gen i, er i'ch ffrind y Cymro geisio dod o hyd iddyn nhw yn y nos."

"Paid â phoeni," meddai Wendy wrth ei thad.

40

"Efallai y bydd yn bosibl . . ."

"Mae popeth yn bosibl," gwenodd Carter. "Gyda help y Nentis. Ond yn anffodus mae Matto a'i ryfelwyr yn dibynnu arna i am eu wisgi. Wnân nhw mo'ch helpu chi. Dyma awgrym ichi: prynwch ganŵ gan Matto. Fe fydd y crocodeilod yn hapus i'ch gweld chi'n dod!"

"Ydych chi ddim yn deall bod fy nhad yn dost?" gofynnodd Wendy yn grac.

"O, ydw," atebodd y tywyswr. "Mae'n rhaid iddo fe orffwys am rai dyddiau eto. Ond cofiwch hyn. Fydd y wisgi ddim yn para am byth. A phan fydd yna ddim wisgi ar ôl fydd dim croeso i ni gan Matto a'i ryfelwyr."

22.

Bob prynhawn roedd Joseff a Lise yn arfer mynd am dro ar lan yr afon neu ar hyd llwybrau'r jyngl. Roedd masgot y llwyth yn gyfarwydd iawn â'r jyngl. Roedden nhw'n cerdded mewn distawrwydd ac weithiau roedd Lise yn diflannu i mewn i'r coed am beth amser ac yn dod yn ôl â ffrwythau neu lysiau blasus i Joseff.

Roedd Lise yn dal adar ac anifeiliaid bach yn ei dwylo ond doedd hi ddim yn eu niweidio nhw. A dweud y gwir, roedden nhw'n dod ati hi fel hen ffrindiau.

Roedd Lise yn poeni am Cris Hopkin. Roedd y Cymro yn aros yn y pentref drwy'r amser bellach.

Doedd e ddim eisiau gadael Wendy a'i thad ar eu pennau eu hunain gyda Carter. Yn y cyfamser roedd Carter yn paratoi'r Nentis i ryfela yn erbyn y Korshi. Roedd e wedi rhoi gynnau iddyn nhw, a phob prynhawn roedden nhw'n ymarfer saethu mewn man agored y tu allan i'r pentref.

Gofynnai Lise gwestiynau i Joseff am y casineb rhwng Cris Hopkin a Carter ond roedd ofn y tywyswr ar Joseff, felly doedd e ddim yn rhoi ateb iddi hi.

Un prynhawn, wrth iddyn nhw gyrraedd y pentref, galwodd Matto ar y ferch.

"Lise. Dewch yma ar unwaith."

Aeth Lise i mewn i gwt pennaeth y llwyth. Roedd Carter wedi bod yn yr un cwt hanner awr cyn hynny ac roedd e wedi cael sgwrs ddiddorol gyda Matto.

"Matto," meddai fe. "Fe fydd yn hawdd i'ch rhyfelwyr guro'r Korshi gyda fy ngynnau i. Fe fyddwch chi'n rheoli afon Yorba cyn hir, a wedyn afon Niger i gyd."

Agorodd llygaid Matto yn eang.

"Ond beth am y Frenhines Victoria?" gofynnodd. "Fe fydd hi'n anfon milwyr i fyny'r afon mewn cychod."

Chwarddodd Carter yn uchel.

"Pan fyddwch chi'n rheoli afon Niger," meddai, "bydd y Frenhines Victoria yn gofyn i chi fod yn ffrind iddi hi."

Roedd y tywyswr yn gwybod y byddai ei gynllun yn dinistrio llwyth y Nentis, ond doedd e ddim yn

42

poeni am hynny. Dim ond am y trysor roedd e'n poeni.

"Wedyn fydd dim prinder wisgi arnoch chi, Matto," meddai dan wenu. "Ond yn gyntaf mae'n rhaid ichi siarad â Lise. . ."

23.

"Eisteddwch i lawr, Lise."

Eisteddodd y ferch ar y ddaear noeth o flaen ei phennaeth. Roedd Matto'n edrych yn ddifrifol iawn.

"Beth sy'n bod?" gofynnodd hi.

"Mae eich ffrind Massa Hopkin mewn perygl mawr."

"Perygl? Pa fath o berygl?"

"Mae Massa Carter yn mynd i'w ladd e."

"Ei ladd e?" Roedd llais Lise yn crynu.

"Ie. Gwrandewch, Lise. Mae'n rhaid ichi fynd â Massa Hopkin i mewn i'r jyngl a'i guddio yno nes i'r lleill fynd i ffwrdd yn y cwch."

"Ond sut?" gofynnodd y ferch. "Dydy Massa Hopkin byth yn gadael y pentref."

Syllodd Matto arni hi.

"Lise, rydych chi'n nabod y llysiau i gyd. Mae'n rhaid ichi baratoi cyffur cwsg iddo fe. Wedyn fe fydd y rhyfelwyr yn eich helpu chi i'w gario i mewn i'r jyngl. Ond brysiwch! Does dim amser 'da chi i'w golli."

Awr yn hwyrach aeth Matto a Lise i'r babell lle roedd Wendy a Cris Hopkin yn gofalu am yr Athro Benson.

"Mae Lise eisiau siarad â chi, Massa Hopkin," meddai Matto dan wenu. "Fe fydda i'n cyfieithu ichi. Mae hi wedi paratoi diod hyfryd ichi yn fy mhabell i."

Trodd Cris at Wendy.

"Cer gyda nhw," meddai hi. "Mae'n rhaid iti ymlacio."

Roedd hi'n dweud y gwir. Roedd y Cymro wedi bod yn nerfus iawn trwy'r dydd. Roedd e'n chwilio am ffordd i gadw'r Nentis rhag rhyfela yn erbyn y Korshi. Yn anffodus roedd y gynnau i gyd gan Carter, felly doedd dim llawer o obaith gan y Cymro.

"O'r gorau, Wendy," meddai. "Fydda i ddim yn hir."

Ond roedd yr haul wedi machlud pan gariodd y rhyfelwyr Cris Hopkin i mewn i'r jyngl.

24.

Am naw o'r gloch roedd Wendy Benson yn dechrau poeni dipyn am y Cymro. Roedd hi wedi cynnau'r lamp olew ac roedd hi'n ceisio darllen, ond doedd hi ddim yn gallu canolbwyntio ar ei llyfr. Felly, pan welodd fod ei thad yn cysgu, gwisgodd ei chot a mynd draw i babell Matto.

Roedd pennaeth y llwyth ar ei ben ei hun yn ei

babell yn ysmygu pib hir. Edrychodd i fyny pan ddaeth y ferch drwy'r drws.

"Ble mae Cris Hopkin?" gofynnodd Wendy'n bryderus.

Chwythodd Matto gwmwl o fwg.

"Mae e wedi mynd i ffwrdd," meddai.

"I ffwrdd? I ble?"

"Wn i ddim."

Roedd Matto yn edrych ar y nenfwd.

"Oedd e ar ei ben ei hun?" gofynnodd Wendy.

"Nac oedd," atebodd yr hen ŵr yn dawel. "Fe aeth Lise gyda fe."

Ar ei ffordd yn ôl i'w phabell cwrddodd Wendy â rhywun yn y tywyllwch.

"Miss Benson. Beth rydych chi'n ei wneud allan yn y nos?"

Pan glywodd hi lais Joseff, torrodd i wylo.

"O! Joseff," meddai. "Mae Cris wedi diflannu, a Lise hefyd."

Petrusodd y dyn am eiliad, yna,

"Rydw i'n gyfarwydd iawn â llwybrau'r jyngl," meddai. "Fe af i i chwilio amdanyn nhw. Ewch chi yn ôl i'ch pabell ac arhoswch yno."

Wrth i Wendy gyrraedd ei phabell gwelodd fod Carter yn aros amdani hi. Dilynodd e'r ferch i mewn.

"Ble mae ein ffrind y Cymro?" gofynnodd y tywyswr. Roedd gwên wirion ar ei wyneb. Roedd yn amlwg iddo fod yn yfed.

Ceisiodd Wendy edrych yn naturiol.

"Dydw i ddim wedi ei weld e heno," atebodd. "Ydy e ddim ar y cwch?"

Siglodd Carter ei ben.

"Rydw i newydd adael y cwch," meddai. "A doedd e ddim yno."

Yn sydyn, ceisiodd e gusanu Wendy ond gwthiodd hi e i ffwrdd. Yn lle bod yn grac chwarddodd Carter yn uchel.

"Mae'r ddwy golomen wedi hedfan," dywedodd. "Dim ond chi a fi sy ar ôl."

"Pa ddwy golomen?" gofynnodd y ferch. "Rydych chi wedi meddwi."

"Lise a Hopkin. Pwy arall?"

Meddyliodd Wendy'n gyflym.

"Sut rydych chi'n gwybod hynny, os oeddech chi ar y cwch?" gofynnodd.

Chwiliodd Carter am ateb i'w chwestiwn, ond doedd e ddim yn meddwl yn glir. Ond roedd Wendy'n teimlo'n well yn barod. Roedd hi'n gwybod bellach nad oedd dim bai ar Cris Hopkin. Doedd e ddim wedi mynd i ffwrdd o'i wirfodd.

25.

Roedd y jyngl yn dywyll iawn, ac roedd rhaid i Joseff gerdded yn ofalus a gwrando ar bob sŵn. Roedd ofn arno oherwydd yr anifeiliaid gwyllt a'r nadroedd a grwydrai'r jyngl yn y nos. Er hynny, roedd e'n benderfynol iawn; roedd Hopkin a Miss Benson wedi bod yn ffrindiau da iddo. Roedd rhaid

46

iddo geisio eu helpu nhw.

Wnaeth e ddim cerdded ar hyd glan yr afon. Roedd honno'n beryglus yn y nos am fod y crocodeilod yn dod i'r tir sych i gysgu. Roedden nhw'n gallu bwrw dyn i lawr â'u cynffonnau cryf ac wedyn ymosod arno â'u dannedd mawr miniog. Fyddai Lise ddim wedi dewis mynd ar hyd glan yr afon.

Cymerodd Joseff lwybr oedd yn arwain i mewn i'r jyngl. Yn ystod y dydd, pan oedd e'n cerdded ar hyd y llwybrau gyda Lise wrth ei ochr, roedd e'n teimlo'n ddiogel iawn. Ond bellach roedd e ar ei ben ei hun ac roedd sŵn y pryfed yn ei wneud yn nerfus. Ar ben hynny, dechreuodd fwrw glaw. Roedd e'n teimlo'n ddiflas.

Cerddodd am yn agos at dair awr ar hyd y llwybrau. Bob deng munud roedd e'n galw "Lise!" ac weithiau roedd deryn neu anifail yn ateb yn y pellter.

Yn sydyn gwelodd e ffigur yn symud o'i flaen, a dechreuodd ei galon guro'n gyflym. Tynnodd gyllell o'i wregys.

"Pwy sy yno?" gofynnodd mewn llais crynedig.

"Joseff?"

Roedd e'n adnabod llais Lise.

"Ie, Joseff," atebodd. "Ble mae Massa Hopkin, Lise?"

"Mae e'n ddiogel," meddai'r ferch. "Mae e'n cysgu."

"Cysgu . . . !" dywedodd Joseff. "Ond dydy e ddim yn gallu aros yma. Mae'n rhaid iddo fynd yn ôl i'r pentref."

"I gael ei ladd?"

Syllodd Joseff ar y ferch.

"Pwy ddywedodd hynny wrthoch chi, Lise?"

"Matto. Mae'n rhaid i Massa Hopkin aros yma."

Roedd Lise yn edrych yn ddifrifol iawn.

"Gwrandewch, Lise," meddai Joseff. "Mae Massa Carter a Matto yn cynllwynio yn erbyn Massa Hopkin. Mae Carter eisiau mynd â'r lleill i ffwrdd a gadael Hopkin yma."

"Mae e'n ddiogel yma," meddai Lise yn bendant.

Roedd rhaid i Joseff feddwl yn gyflym.

"Nac ydy, Lise," esboniodd. "Heb ei gariad Miss Benson a heb feddyginiaeth y dynion gwyn fe fydd e'n marw yma. Cofiwch eich breuddwyd, Lise: *fe fydd un o'r gwynion yn marw yn y pentref 'ma.*"

Petrusodd y ferch am eiliad, yna,

"Fe fydd rhaid inni aros tan y bore," meddai hi. "Wedyn fe af i chwilio am lysiau i'w ddeffro. Mae e wedi cael cyffur cwsg."

26.

Drannoeth am naw o'r gloch aeth Carter i mewn i ystafell y peiriant. Gwelodd fod digon o goed i fwydo'r peiriant yn ystod y daith fer i wlad y Korshi, lle roedd y trysor. Meddyliodd am y daith i lawr afon Yorba a gwenodd. Roedd hi wedi bwrw glaw yn ystod y nos. Roedd tymor y glaw yn dechrau ac roedd yr afon wedi codi dipyn yn barod.

Ni fyddai'r banciau tywod yn broblem nawr.

Aeth ar y dec lle roedd y ddau weithiwr yn eistedd gan siarad â'i gilydd.

"Cyneuwch y peiriant," gorchmynnodd Carter. "Fe fyddwn ni'n ymadael cyn bo hir."

Cododd y dynion ar eu traed ac aeth Carter i lawr y planc ac yn ôl i'r pentref. Aeth yn syth i gwt yr Athro Benson.

"Rydyn ni ar fin ymadael," meddai'n sych. "Cymerwch eich pethau a dewch gyda fi."

Cododd Wendy ar ei thraed.

"Ond . . . "

"Dim *ond* o gwbl," gwaeddodd Carter. "Brysiwch!"

Gwelodd Wendy a'r athro fod dryll gan Carter yn ei wregys. Doedd dim dewis ganddyn nhw. Yn sydyn, gwenodd y tywyswr arni hi.

"Mae newyddion da ichi," meddai. "Mae Hopkin wedi dod yn ôl. Mae e'n aros amdanoch chi yn y cwch."

Ymhen deng munud roedden nhw'n dringo'r planc i ddec y cwch. Aeth Wendy yn syth i lawr i'r caban. Arhosodd ei thad ar y dec gyda Carter.

"Cris . . . Cris?" Roedd llais y ferch yn crynu. Ble roedd y Cymro? Oedd Carter wedi ei thwyllo hi?

Clywodd hi sŵn yn ystafell y peiriant ac aeth i weld pwy oedd yno. Roedd un o'r gweithwyr yn procio'r tân.

"Wyt ti wedi gweld Mr Hopkin?" gofynnodd hi'n eiddgar.

"Nac ydw, Miss. Dydy Joseff ddim yma chwaith."

Penderfynodd hi fynd i fyny i'r dec, ond roedd Carter yn sefyll ar ben y grisiau. Pan welodd e'r ferch gwaeddodd:

"Arhoswch fan yna. Peidiwch â gadael y caban. Fi ydy'r capten yma!"

27.

Agorodd Cris Hopkin ei lygaid. Roedd e'n teimlo'n flinedig iawn. Clywodd lais Lise ond roedd yn swnio'n bell.

"Yfwch, Massa. Yfwch!"

Cododd hi'r cwpan at ei wefusau ac yfodd e dipyn. Dechreuodd ei ben glirio ychydig; roedd e'n gallu gweld ei hwyneb nawr.

"Ble rydw i?" gofynnodd.

Aeth Joseff ar ei benliniau wrth ochr y Cymro.

"Ceisiwch sefyll, Massa," meddai. "Mae'n rhaid inni fynd yn ôl i'r pentref."

Arhosodd Cris am funud, yna cododd yn araf. Roedd ei goesau'n wan ac roedd rhaid i Joseff ei gynnal.

"Ble mae Wendy?" gofynnodd Cris yn bryderus.

"Mae hi yn y pentref. Mae hi'n poeni amdanoch chi. Ydych chi'n gallu cerdded?"

Roedd y daith yn ôl yn galed. Roedd Cris Hopkin yn meddwl yn glir erbyn hyn, ond roedd e wedi colli ei nerth i gyd ar ôl y cyffur cwsg. Roedd rhaid iddo bwyso ar ei ffrind Joseff, ac yn fuan roedd corff y dyn du yn chwys diferol.

Pan gyrhaeddon nhw'r pentref o'r diwedd, roedd dau ryfelwr yn aros amdanynt i gau eu ffordd. Pwyntiodd y ddau eu picellau tuag atynt.

"Allan o'r ffordd!" gorchmynnodd y Cymro'n grac ond symudon nhw ddim. Cododd un o'r rhyfelwyr ei bicell uwch ei ben, ond cyn iddo ei thaflu cyrhaeddodd Lise wrth ochr Cris Hopkin. Dechreuodd hi weiddi ar y ddau ryfelwr a chymerodd Cris gam ymlaen er mwyn ei hamddiffyn hi. Doedd dim angen. Roedd y ddau ryfelwr wedi gollwng eu picellau ac roedden nhw'n rhedeg i mewn i'r jyngl fel pâr o gwningod!

28.

Clywodd Carter leisiau yn dod o gyfeiriad y pentref. Roedd tyrfa o bobl yn dod at y cwch. Roedd Matto a'i ryfelwyr yn ceisio rhwystro Cris Hopkin a Joseff rhag nesáu at y cwch, ond roedd Lise yn eu gyrru nhw allan o'r ffordd.

Trodd Carter a gweld un o'r criw yn sefyll ar ben arall y dec.

"Pam dwyt ti ddim yn gweithio?" gofynnodd yn ddig. "Torra'r rhaff a cher i nôl polyn hir. Fe fydd rhaid iti wthio'r cwch allan i ganol yr afon."

Aeth Carter yn gyflym i lawr y planc i wynebu Cris Hopkin a Lise. Doedd dim ofn masgot y llwyth arno. Roedd e'n gwybod nad oedd swyn y ferch yn cael effaith ar ddynion gwyn. Roedd yn amlwg hefyd fod y Cymro'n rhy wan i fod yn beryglus.

"Gadewch i fi basio," ebe Cris wrth weld y tywyswr yn ei ffordd.

Yn lle ateb tynnodd Carter ei ddryll a bwrw'r Cymro ar ochr ei ben. Syrthiodd Cris Hopkin i'r ddaear a rhedodd Carter yn ôl i fyny'r planc.

Ond pan gyrhaeddodd e ben y planc gwelodd fod y gweithiwr du'n pwyntio'r polyn ato ac yn ei rwystro rhag cyrraedd y dec.

"Wyt ti wedi drysu?" gwaeddodd Carter gan godi ei ddryll.

"Nac ydw," atebodd y dyn yn dawel. "Llofrudd ydych chi, Massa Carter. Fe laddoch chi fy ffrind i. Ydych chi ddim yn cofio?"

Pwysodd Carter ar y triger, ond doedd e ddim yn ddigon cyflym. Gwthiodd y gweithiwr du y polyn yn erbyn ei frest a syrthiodd y dyn gwyn o'r planc i'r afon. Disgynnodd Carter ar ei gefn yn y dŵr a gwasgodd y dyn du y polyn i lawr arno er mwyn ei rwystro rhag codi eto. Ymladdodd y tywyswr i gadw ei ben uwchben y dŵr ond roedd y gweithiwr du yn gwasgu'n gadarn . . . Roedd yn amlwg bod Carter yn boddi.

"Rhyfelwyr," gwaeddodd Matto yn sydyn. "Achubwch Massa Carter!"

Rhuthrodd e ymlaen ond roedd Lise yn sefyll yn ei ffordd.

"Lladdwch nhw . . . Lladdwch nhw!" Roedd Matto yn gweiddi fel gwallgofddyn ond doedd y rhyfelwyr ddim yn symud. Roedd pob un ohonyn nhw'n sefyll fel delw gan edrych ar y pennaeth a'r ferch.

Yn sydyn tynnodd Matto gyllell o'i wregys a'i chodi uwch ei ben.

"Allan o'r ffordd, Lise," meddai mewn llais rhyfedd.

Symudodd y ferch ddim.

"Wel, cei di farw 'te!" gwaeddodd Matto. "Fe gei di farw!"

Daeth â'r gyllell i lawr, ond cyn iddi hi gyffwrdd â'r ferch pesychodd Matto a syrthiodd ar ei benliniau. Pesychodd unwaith eto a daeth gwaed allan o'i geg.

Edrychodd Cris Hopkin i fyny o'r ddaear a gwelodd e Joseff yn sefyll wrth ochr corff Matto. Roedd Joseff yn dal picell hir yn ei law . . .

Y noson honno cafodd corff Matto ei losgi ar dân mawr yng nghanol y pentref. Yna dechreuodd sŵn y drwm alw pob aelod o'r llwyth i'r pentref i ethol pennaeth newydd, a fyddai'n cael ei eneinio gan fasgot y llwyth.

Chafodd corff Carter mo'i losgi. Arhosodd yn yr afon i fwydo'r crocodeilod.

Flwyddyn yn ddiweddarach priododd Wendy a Cris yn Llundain. Pan gafodd eu merch gyntaf ei geni, rhoddon nhw'r enw Lise arni i gofio am y ferch ddewr a achubodd eu bywydau ym medd y dyn gwyn.

GEIRFA *VOCABULARY*

achos *because*
achub *to save*
aderyn (adar) *bird*
adfail (adfeilion) *ruin*
adeilad *building*
adnabod *to know, recognise*
addas *suitable*
aelod *member*
aeth, aethon *went*
af *I shall go*
afon (-ydd) *river*
Affrica *Africa*
agor *to open*
agored *open*
agos *near;* yn agos *at nearly;* agosaf
   next, nearest
angel *angel*
angen *need*
anghofio *to forget*
angor *anchor*
ail *second*
ailfeddwl *to rethink; to have second*
   thoughts
Yr Almaen *Germany*
Almaenwr *German*
allan *out*
amddiffyn *to protect*
amhosibl *impossible*
aml *frequent*
amlwg *obvious*
amser *time;* trwy'r amser *all the time*
anadlu *to breathe*
anfon *to send*
anffodus *unfortunate*
anifail (anifeiliaid) *animal*
annaturiol *unnatural*
anobeithiol *hopeless*
anrheg (-ion) *present*
anweledig *invisible*
araf *slow*
arall *other, else*
ardal *district*
arddwrn *wrist*
arfer *used to do something;* fel arfer
   usually
arfordir *coast*

arian *money*
arllwys *to pour*
aros *to wait*
arwain *to lead*
astudio *to study*
ateb *answer; to answer*
athro *professor*
aur *gold*
awgrym *suggestion*
awgrymu *to suggest*
awr *hour*
awyddus *eager*
awyr *sky, air*
awyrgylch *atmosphere*

baban *baby*
bach *small*
bachgen (bechgyn) *boy*
bag (-iau) *bag;* bagiau *luggage*
bai *blame;* arna i mae'r bai *it's my fault*
balch *glad*
banc (-iau) *bank*
bar *bar*
bargen *bargain*
bas *shallow*
bedd *grave*
bellach *by now*
ber *gweler* byr
beth *what;* beth sy'n bod? *what's the*
   matter? beth bynnag *anyway*
blaen *front;* o flaen *in front of;*
   o'r blaen *before, previously;* y dydd
   o'r blaen *the other day*
blasus *tasty*
ble *where*
blinedig *tired*
blino *to tire;* wedi blino *tired*
blwyddyn (blynedd, blynyddoedd)
   year
boch (-au) *cheek*
bodd; wrth ei fodd *satisfied, pleased*
boddi *to drown*
bore *morning*
braf *fine*
braich (breichiau) *arm*
braidd *rather*

55

brawddeg *sentence*
brecwast *breakfast*
breichled *bracelet*
brenhines *queen*
brenin *king*
brest *chest*
breuddwyd (-ion) *dream*
brifo *to hurt, wound*
brodor (-ion) *native*
bron *nearly*
brown *brown*
brwydr *battle, fight*
brys *haste*
brysio *to hurry*
Bryste *Bristol*
buan; yn fuan *soon*
busnes *business*
bwled (-i) *bullet*
bwrdd *table*
bwriadu *to intend*
bwrw *to hit, to knock;* bwrw angor *to cast anchor;* bwrw glaw *to rain*
bwyd *food*
bwydlen *menu*
bwydo *to feed*
bwyta *to eat*
byd *world;* dim byd *nothing*
byr, ber *short*
byth *ever;* am byth *for ever*
byw *to live; alive*
bywyd (-au) *life*

caban (-au) *cabin*
cadair *chair*
cadarn *firm*
cadw *to keep*
cangen (canghennau) *branch*
caled *hard*
calon *heart*
cam *step*
canllath *a hundred yards*
canol *middle*
canolbwyntio *to concentrate*
cant *hundred*
canu *to sing*
canŵ (-od) *canoe*
capten *captain*
card (-iau) *card*
cariad *girlfriend, boyfriend*
cario *to carry*

casgen *barrel*
casglu *to collect*
casineb *hatred*
cath *cat*
cau *to close*
cawl *soup*
cefn *back*
ceg *mouth*
cegin *kitchen, galley*
cei *you shall*
cei *quay*
ceiniog *penny*
ceisio *to try*
cer *go*
cerdded *to walk*
ci (cŵn) *dog*
cig *meat*
clerc *clerk*
clir *clear*
clirio *to clear*
clo *lock*
cloch *bell;* o'r gloch *o'clock*
cloff *lame*
clustlws (clustlysau) *ear-ring*
clywed *to hear*
coch *red*
codi *to pick up; to get up; to rise*
coeden *tree;* coed *trees, wood*
coes (-au) *leg*
cofio *to remember*
coffi *coffee*
coginio *to cook*
colomen *dove*
colli *to lose*
corff *body*
cornel *corner*
cot *coat*
cownter *counter*
crac *angry*
credu *to believe*
criw *crew*
crocodeil (-od) *crocodile*
croen *skin*
croesawu *to welcome*
croesi *to cross*
croeso *welcome*
crwydro *to wander*
cryf *strong*
crynedig *shaky*
crynu *to tremble*

56

cuddio *to hide*
curo *to beat*
cusanu *to kiss*
cwbl *all;* o gwbl *at all*
cwch (cychod) *boat*
cwestiwn (cwestiynau) *question*
cwinîn *quinine*
o gwmpas *around*
cwmwl *cloud*
cwningen (cwningod) *rabbit*
cwpan *cup*
cwpwrdd *cupboard*
cwrdd (â) *to meet*
cwrs *course;* wrth gwrs *of course*
cwrw *beer*
cwsg *sleep*
cwt (cytiau) *hut*
cwympo *to fall*
cwyno *to complain*
cychwyn *to start*
cyfamser *meantime*
cyfarwydd *familiar*
cyfeillgar *friendly*
cyfeiriad *direction*
cyfeirio *to indicate, point*
cyfieithu *to translate*
cyflog *wage*
cyflogi *to employ*
cyflwyno *to introduce*
cyflym *fast, quick*
cyflymu *to speed up, accelerate*
cyfrifol *responsible*
cyfrinach *secret*
cyffredin *common*
cyffrous *excited*
cyffur *drug*
cyffwrdd (â) *to touch*
cyllell *knife*
cymharu *to compare*
cymhleth *complex*
Cymro *Welshman*
cymryd *to take*
cyn *before;* cyn hir, cyn bo hir *before long*
cynffon (-nau) *tail*.
cynllun (-iau) *plan*
cynllwynio *to plot*
cynnal *to support*
cynnar *early*
cynnau *to light, start*

cyntaf *first*
cyrion *outskirts*
cyrraedd *to arrive at*
cysgu *to sleep*
cytuno *to agree*
cywir *correct*

chwaer (chwiorydd) *sister*
chwaith *either*
chwarae *to play*
chwaraewr *player*
chwarddodd *laughed*
chwe, chwech *six*
Chwefror *February*
chwerthin *to laugh*
chwerw *bitter*
chwilio am *to look for*
chwith *left;* o chwith *the wrong way*
chwys *sweat*
chwythu *to blow*

da *good;* da at *good for;* yn dda *well*
daear *earth*
daeth *came*
dagrau *tears*
dal *to hold; to catch;* dal i *to still be*
dangos *to show*
dant (danned) *tooth*
darganfod *to discover*
darllen *to read*
dart (-iau) *dart*
dathlu *to celebrate*
dau, dwy *two*
de *right*
deall *to understand*
dec *deck*
dechrau *to start*
defnyddio *to use*
defnyddiol *useful*
deffro *to awake*
deg *ten*
deilen *leaf*
delw *image*
denu *to attract*
deryn *bird*
desg *desk*
dewch *come*
dewis *choice; to choose*
dewr *brave*
dibynnu *to depend*

57

diddordeb *interest*
diddorol *interesting*
dieithr *strange*
diferol *dripping*
diflannu *to disappear*
diflas *wretched*
o ddifri *in earnest*
difrifol *serious*
dig *angry*
digio *to anger*
digon *enough; plenty;* digon o faint
  big enough
digwydd *to happen*
dilyn *to follow*
dillad *clothes*
dinas *city*
dinistrio *to destroy*
diod *drink*
diogel *safe*
diolch *thanks*
disgleirio *to shine*
disgwyl *to expect*
disgyn *to descend, to fall*
distawrwydd *silence*
ditectif *detective*
diwedd *end;* o'r diwedd *at last*
diweddarach *later*
diwrnod (-au) *day*
dod *to come;* dod â *to bring;* dod i ben
  to end; dod o hyd i *to find*
dodi *to put*
dogfen (-nau) *documents*
draw *over, across*
dringo *to climb*
drôr *drawer*
drwg *bad*
drwm *drum*
drws (drysau) *door*
drwy *through*
dryll (-iau) *gun*
drysu *to confuse;* wedi drysu *confused,*
  crazy
du (-on) *black*
dweud *to say*
dwfn *deep*
dŵr *water*
dwyn *to steal*
dwywaith *twice*
dydd (-iau) *day;* dydd Mercher
  Wednesday

dyddiadur *diary*
dyfnder *depth*
y dyfodol *the future*
dylwn *I ought*
dyn (-ion) *man;* dyn busnes *business
  man*

ddoe *yesterday*

eang *wide*
ebe *said, says*
edrych (ar) *to look (at)*
efallai *perhaps*
effaith *effect*
enghraifft *example;* er enghraifft *for
  example*
eiddgar *eager*
eiddigeddus *jealous*
eiliad *second*
eisiau *want*
eistedd *to sit*
eitem (-au) *item*
eneinio *to anoint*
enfawr *huge*
ennill *to win, gain*
enw *name*
er *although;* er mwyn *in order to;* er
  hynny *despite that*
erbyn *by;* erbyn hyn *by now;* yn erbyn
  against
erfyn *to plead*
ergyd *blow*
erioed *ever*
ers *since, for*
esbonio *to explain*
esgusodi *to excuse*
esmwyth *easy*
estyn *to extend, to pass*
eto *again; yet*
ethol *to elect*
ewch *go*

faint? *how much? how many?*
fel *like;* fel petai *as if*
felly *so, then*
fory *tomorrow*
i fyny *up*

ffafr *favour*
ffeindio *to find*

58

ffenestr (-i) *window*
ffigur *figure*
fflach *flash*
ffoi *to flee*
ffordd *way*
Ffrancwr *Frenchman*
Ffrangeg *French*
ffres *fresh*
ffrind (-iau) *friend*
ffrwyth (-au) *fruit*
ffŵl *fool*
i ffwrdd *away*

ga i? *may I?*
gadael *to leave;* gadewch inni *let's*
gafael *to grasp*
gafr *goat*
gair (geiriau) *word*
galw *to call*
gallu *to be able to*
gamblo *to gamble*
garw *rough*
gem (-au) *gem, jewel*
geni *to be born*
ger *near*
ei gilydd *each other*
glan (-nau) *bank (of river)*
glân *clean*
glas *blue;* gorau glas *level best*
glaw *rain*
gobaith *hope*
gobeithio *to hope; I hope*
gofal *care*
gofalu (am) *to take care (of)*
gofalus *careful*
gofyn *to ask*
golau *light*
goleuo *to light*
golwg *view*
gollwng *to release, drop*
gorau *best;* o'r gorau *all right;* gorau
  glas *level best*
gorchymyn *to order*
gorffen *to finish*
gorffwys *to rest*
gorllewin *west*
gormod *too many*
gorwedd *to lie*
gosod *to put, place*
gris (-iau) *step*

grŵp (grwpiau) *group*
gwaed *blood*
gwaeddodd *shouted*
gwag *empty*
gwagio *to empty*
gwahodd *to invite*
gwaith *work; time*
gwallgofddyn *madman*
gwallt *hair*
gwan *weak*
gwas *servant*
gwasgu *to press*
gwawr *dawn*
gwddf *throat*
gwefus (-au) *lip*
gweiddi *to shout*
gweithio *to work*
gweithiwr (gweithwyr) *worker*
gweithredu *to act*
gweld *to see*
gwely *bed*
gwell *better*
gwella *to get better*
gwên *smile*
gwenu *to smile*
gwenwyn *poison*
gwenwynig *poisonous*
gwerthu *to sell*
gwesty *hotel*
gwir *true;* y gwir *the truth;* wir, yn wir
  indeed
o'i wirfodd *voluntarily*
gwirion *stupid*
gwisgo *to wear, put on*
gwlad *country*
gwn (gynnau) *gun*
gwnaeth *made*
gwneud *to make, to do*
gŵr *man*
gwraig (gwragedd) *woman*
gwrando (ar) *to listen (to)*
gwregys *belt*
gwreiddiol *original*
gwres *heat*
gwthio *to push*
gwybod *to know*
gwydraid *a glass(ful)*
gwydryn (gwydrau) *a glass*
gwyllt *wild*
gwyn (-ion) *white*

gwynt *wind*
gwyrdd *green*
i gyd *all*
gyferbyn â *opposite*
gyrru *to drive*

haearn *iron*
hances *handkerchief*
hanes *story*
hanner *half*
hapus *happy*
harbwr *harbour*
hardd *beautiful*
haul *sun*
hawdd *easy*
heb *without*
hedfan *to fly*
hefyd *as well*
heibio *past*
helpu *to help*
hen *old*
heno *tonight*
hir *long*
hoffi *to like*
hongian *to hang*
holi *to ask*
holl *all*
hollol *entirely*
honno *that, that one, she*
hunllef *nightmare*
hwn, hon *this*
hwnnw *that, that one, he*
hwyl *cheerio*
hwylio *to sail*
hwyr *late;* yr hwyr *the evening*
ar hyd *along;* o hyd *still*
hyfryd *nice, lovely*
hynny *that*

iaith *language*
iawn *very; all right*
ifanc *young*
inc *ink*
isaf *lowest*

jyngl *jungle*

lamp *lamp*
i lawr *down*
lolfa *lounge*

lwc *luck;* pob lwc *best of luck*
lwcus *lucky*

lladd *to kill*
llall (lleill) *other*
llanc *lad, youth*
llais (lleisiau) *voice*
llathen *yard*
llaw (dwylo) *hand;* gyda llaw *by the way*
llawer *a lot, many*
llawn *full*
llawr *floor*
lle (-oedd) *place;* yn lle *instead of;* o'i le *wrong*
llen *curtain*
lleoliad *location*
llifo *to flow*
lliw (-iau) *colours*
llofrudd *murderer*
llong *ship*
llosgi *to burn*
llun (-iau) *picture;* tynnu llun *to draw a picture*
Llundain *London*
llunio *to fashion, make*
llwybr (-au) *path*
llwyd *grey*
llwyddiannus *successful*
llwyddo *to succeed*
llwyth (-au) *tribe*
llyfr (-au) *book*
llygad (llygaid) *eye*
llym *sharp*
llysiau *vegetables, herbs*
llythyr *letter*
llywio *to steer*
llywodraeth *government*
llywodraethwr *governor*

machlud, machludo *to set (sun)*
maddau *to forgive*
man (-nau) *place;* pob man *everywhere*
manylion *details*
map (-iau) *map*
marw *to die*
marwolaeth *death*
masgot *mascot*
mater *matter*
math *sort*

mawr *big*
medru *to be able to*
meddai *said*
meddwi *to get drunk;* wedi meddwi *drunk*
meddwl *to think*
meddyg *doctor*
meddyginiaeth *medicine*
melyn *yellow*
melltithio *to curse*
mentro *to venture*
merch *girl; daughter*
dydd Mercher *Wednesday*
mesur *to measure*
mewn *in;* i mewn i *into*
mil *a thousand*
milwr (milwyr) *soldier*
min *edge;* ar fin *on the point of*
miniog *sharp*
mis (-oedd) *month*
moment *moment*
mor *so, as*
morwr *sailor*
mosgito *mosquito*
munud (-au) *minute*
mwg *smoke*
mwnci *monkey*
mwy *more; bigger*
mwya *most*
mynd *to go*
mynegi *to express*

naturiol *natural*
naw *nine*
nawr *now*
neb *no one*
neges *message*
neidio *to jump*
neidr (nadroedd) *snake*
nenfwd *ceiling*
nerfus *nervous*
nerth *strength;* nerth ei thraed *as fast as she could*
nes *until*
nesáu (at) *to approach*
neu *or;* neu beidio *or not*
newid *to change*
newydd *new;* newydd gyrraedd *just arrived;* newyddion *news*
niweidio *to harm*

niwl *fog*
nodi *to note*
nodiadau *notes*
noeth *naked, bare*
nôl *to fetch*
nos, noson *night*

ochneidio *to sigh, groan*
ochr (-au) *side*
oed *age;* faint yw'ch oed chi? *how old are you?* pymtheg oed *fifteen years old*
oeraidd *chilly, cold*
ofn *fear;* codi ofn ar *to frighten;* roedd ofn arna i *I was afraid*
oherwydd *because of*
yn ôl *back; ago; according to;* y tu ôl *behind;* ar ôl *after; remaining*
olew *oil*
ond *but;* dim ond *only*
osgoi *to avoid*

pabell *tent*
paent *paint*
pam *why;* pam lai? *why not?*
pan *when*
papur (-au) *paper*
pâr *pair*
para *to continue, to last*
paratoi *to prepare*
parchus *respectful*
parod *ready;* yn barod *already*
pasio *to pass*
pawb *every*
pedwar, pedair *four;* pedair ar hugain *twenty-four*
pedwerydd *fourth*
peidio *to stop;* paid, peidiwch â *don't*
peiriant *engine*
pell *far, far away*
pellter *distance*
pen (-nau) *head; end;* ar ben *on top of;* ar ei ben ei hun *by himself;* dros ben *extremely*
pen *pen*
pendant *definite*
penderfynol *determined*
penderfynu *to decide*
pen-lin (penliniau) *knee*
pennaeth *chief*

61

pentref (-i) *village*
penwythnos *weekend*
perffaith *perfect*
perl *pearl*
perthyn *to belong*
perygl *danger*
peryglus *dangerous*
peswch *to cough*
petai *if . . . were to*
petrus *hesitant*
petruso *to hesitate*
peth (-au) *thing; some*
pib *pipe*
picell (-au) *spear*
plaen *plain*
plentyn (plant) *child*
pleser *pleasure*
pob *every*
pobl *people*
poeni *to worry*
poeth *hot*
polyn (polion) *pole*
popeth *everything*
port *port (drink)*
posibl *possible*
potel *bottle*
potelaid *bottle(ful)*
prinder *scarcity*
priodi *to marry*
problem (-au) *problem*
procio *to poke*
profiadol *experienced*
proffwydo *to prophesy*
pry tsetse *tsetse fly*
pryd *when;* ar hyn o bryd *at the moment*
Prydain *Britain*
Prydeinig *British*
pryderus *anxious*
pryfyn (pryfed) *insect*
prynhawn *afternoon*
prynu *to buy*
prysur *busy*
pum, pump *five*
punt (punnau, punnoedd) *pound*
pwrs *purse*
pwyntio *to point*
pwysau *weight*
pwyso *to lean, press*
pydru *to rot*

pymtheg *fifteen*
pysgotwr (pysgotwyr) *fisherman*

reiffl *rifle*

rhad *cheap*
rhaff *rope*
rhag *from*
rhai *some*
roedd rhaid iddo *he had to*
rhannu *to share*
rhedeg *to run*
rheol *rule;* fel rheol *as a rule*
rheoli *to manage; to control*
rhes (-i) *row*
rhesymol *reasonable*
rhoi, rhoddi *to give, to put*
rhuthro *to rush*
rhwbio *to rub*
rhwng *between*
rhwystro (rhag) *to prevent (from)*
rhy *too*
rhybudd *warning*
rhydd *free*
rhyfedd *strange*
rhyfeddol *wonderful*
rhyfel *war*
rhyfela *to make war*
rhyfelwr (-wyr) *warrior*
rhywbeth *something, anything*
rhywle *somewhere*
rhywun *someone*

Saesneg *English*
saethu *to shoot*
sâl *ill*
sawl *several*
sefyll *to stand*
sefyllfa *situation*
seren (sêr) *star*
sgrifennu *to write*
sgwrs *talk*
siarad *to talk, speak*
siart (-iau) *chart*
sieri *sherry*
siglo *to shake, to rock*
sioc *shock*
siŵr *sure*
sôn (am) *to mention*
sosban *saucepan*

stopio *to stop*
stryd *street*
sut? *how?*
swil *shy*
sŵn *sound*
swnio *to sound*
swper *supper*
swyddfa *study*
swyn *charm, magic*
swynol *charming*
sych *dry*
sychu *to dry; to wipe*
sydyn *sudden*
sylwi *to observe;* sylwi ar *to notice*
syllu *to stare*
syml *simple*
symud *to move*
symudiad *movement*
syn *surprised*
synnwyr *sense*
syrthio *to fall*
syth *straight*

taclus *tidy*
tad *father*
taflu *to throw*
tair *gweler* tri
taith *journey*
tal *tall*
talcen *forehead*
talu *to pay*
tan *until*
tân (tanau) *fire*
tawel *quiet*
'te *then*
teimlad (-au) *feeling*
teimlo *to feel*
teithio *to travel*
teithiwr (teithwyr) *traveller*
tenau *thin*
tew *fat*
tipyn *a bit*
tir *land*
tlawd *poor*
tôn *tone*
torri *to break*
tost *ill*
tra *while*
trafod *to discuss*
trannoeth *next day*

tref *town*
trefnu *to arrange*
treulio *to spend (time)*
tri, tair *three*
triger *trigger*
triniaeth *treatment*
trist *sad*
tro *turn; time; walk, stroll*
troed (traed) *foot*
trofannol *tropical*
troi *to turn*
trydydd *third*
trysor *treasure*
y tu allan *outside;* y tu ôl *behind*
tua *about; towards*
tuag at *towards*
tudalen *page*
twp *stupid*
twyllo *to trick*
tŷ (tai) *house*
tybed *I wonder*
tymer *temper*
tymor *season*
tyner *tender*
tynn *tight*
tynnu *to pull, draw*
tyrfa *crowd*
tywod *sand*
tywydd *weather*
tywyll *dark*
tywyllu *to get dark*
tywyllwch *darkness*
tywyswr *guide*

uchel *high; loud*
ufudd *obedient*
ugain *twenty;* deg ar hugain *thirty*
un *one;* yr un *the same*
unig *lonely; only*
unrhyw *any*
unwaith *once;* ar unwaith *at once*
uwch, uwchben *above*

wal *wall*
wedyn *then*
weithiau *sometimes*
winc *wink*
wisgi *whisky*
wn i ddim *I don't know*
wylo *to cry*

wyneb *face*
wynebu *to face*
wythnos *week*

ychydig *a little*
yfed *to drink*
yfory *tomorrow*
ymadael *to leave*
ymarfer *to practise*
ymddiried *to trust*
ymhen *in, within (time)*
ymlacio *to relax*

ymladd *to fight*
ymlaen *onwards, on, forward*
ymosod (ar) *to attack*
ymuno (â) *to join*
ymweld (â) *to visit*
yn ymyl *beside*
ysgrifennu *to write*
ysmygu *to smoke*
ystafell *room;* ystafell fwyta *dining room;* ystafell y peiriant *engine room*
yn ystod *during*
ystyfnig *stubborn*